CHARADINHAS

ANIMAIS

Ciranda Cultural

ANIMAIS

1. **Quando o cachorro fica desconfiado?**

2. Quem tem mania de plagiar os outros?

3. Qual foi o primeiro bicho a sair da arca de Noé?

4. O que a cegonha disse quando pousou sobre um prédio alto?

5. Quem é que tem sete vidas, mas não é gato?

RESPOSTAS: 1.Quando fica com a pulga atrás da orelha. 2. O papagaio. 3. O que estava na frente de todos. 4. "Nossa, que ninho de andaresi". 5. A gata.

ANIMAIS

6. Qual o nome do animal marinho que, sem a primeira sílaba, manda ler?

7. Qual é o animal que só fica doente no Natal?

8. Por que os elefantes têm joelhos enrugados?

9. Qual o bicho que só trabalha para madame?

10. Qual o bicho que só dá atenção às patas?

11. Por que a galinha se senta para botar seus ovos?

RESPOSTAS: 6. Baleia. 7. A lebre, pois esse é o único dia em que ela não está correndo. 8. Porque jogam muita bola de gude. 9. O bicho-da-seda. 10. O pato. 11. Porque, se botasse em pé, os ovos quebraria.

ANiMAiS

12. Qual a dança preferida do boi?

13. Qual o bicho que se conhece pelo cheiro?

14. O que acontece quando um elefante tromba no outro?

15. Quantos gravetos entram na construção de um ninho de corvo?

16. Qual o animal cujo pelo faz parte da roseira?

17. Por que o tubarão ficou chocado?

18. **De que lado o urso tem mais pelos?**

RESPOSTAS: 12. "Boilero". 13. O gambá. 14. Uma trombada. 15. Nenhum. Todos eles ficam do lado de fora. 16. O porco-espinho. 17. Porque engoliu um peixe-elétrico. 18. Do lado de fora.

ANIMAIS

19. Por que o jacaré fugiu da escola?

20. Como é que se chama a pista de corrida dos hipopótamos?

21. O que é que tem centenas de agulhas e não costura?

22. Quando é que uma onça se torna inofensiva?

23. O que o gato usa para cantar?

24. O que faz mais barulho do que um porco preso na porteira?

25. Quando é que uma cabra passa pelas amigas e não cumprimenta?

26. Qual é a cobra que decide melhor?

RESPOSTAS: 19. Porque ele repetiu (ele é réptil), 20. Hipopódromo. 21. O porco-espinho. 22. Quando está pintada num quadro. 23. Um "miaucrofone". 24. Dois porcos presos na porteira. 25. Quando está de bode. 26. A cobra de duas cabeças.

ANIMAIS

27. Quando é que os gatos ficam preocupados e nervosos?

28. Por que os passarinhos fazem ninhos nas árvores?

29. Quando o flamingo ficou de pé, por que levantou um pé?

30. Quando um gato entra num portão com quatro patas e sai com oito?

31. O que é que pula, mas não é bola; tem bolsa, e não é mulher?

32. O que é mais alto sentado do que de pé?

33. Que parte do peixe trazemos no rosto?

34. Qual o pior tempo para ratos e camundongos?

35. Quem inventou a fila?

RESPOSTAS: 27. Quando está quente pra cachorro. 28. Porque não podem fazer em sua cabeça. 29. Porque, se levantasse os dois, cairia. 30. Quando pega um rato. 31. O canguru. 32. O gato. 33. A espinha. 34. Quando chovem cães e gatos. 35. A formiga.

ANIMAIS

36. Qual o bicho que mais incomoda as árvores?

37. Se um porco está preso num chiqueiro e o outro porco está correndo solto no quintal, qual deles está cantando de alegria?

38. Quem é alongada e sente mais medo de um galo ou de uma galinha do que de um cachorro?

39. Como apanhar um galho sem perturbar o pássaro que está pousado nele?

40. Qual o peixe que não morre pela boca?

RESPOSTAS: 36. O pica-pau. 37. Nenhum dos dois. Porcos não sabem cantar. 38. A minhoca. 39. É só esperar o pássaro voar. 40. É o que cai na rede.

ANIMAIS

41. Por que os peixes gostam tanto de comer?

42. Quando é que um camelo fica mais valorizado?

43. Por que enterrar um elefante é tão difícil?

44. **Quando é que um porco é econômico?**

45. O que a onça feroz disse quando se viu no espelho?

RESPOSTAS: 41. Porque estão sempre com água na boca. 42. Quando carrega alguém. 43. Porque os parentes lotam o cemitério. 44. Quando ele é um cofrinho. 45. "Uau, que fera!".

ANIMAIS

46. O que é que apenas a coruja, e mais nenhum animal, tem?

47. O que é pior que uma girafa com dor de garganta?

48. Por que o gato mia para a Lua e ela não responde?

49. Onde o veneno da cobra começa a agir?

50. Por que os pelicanos dariam bons advogados?

51. Por que a preguiça morreu de falta de ar?

52. O que o pato usa para nadar?

53. Do que a abelha tem mais raiva?

54. Por que o cachorro entrou na igreja?

RESPOSTAS: 46. Corujinha. 47. Uma centopeia com dor nos pés. 48. Porque "Astro-no-mia". 49. No fim da picada. 50. Porque sabem abrir o bico. 51. Porque sentiu preguiça de respirar. 52. Pés de pato. 53. De ser confundida com um marimbondo. 54. Porque a porta estava aberta.

ANIMAIS

55. Quem tem ousadia de comer à mesa com um rei sem usar guardanapos nem pedir licença?

56. Por que as galinhas são os animais mais educados de uma fazenda?

57. **O que é que tem olho de gato, rabo de gato, mas não é gato?**

58. Por que o cupim não come madeira de lei?

59. Por que um porquinho come tanto?

60. De qual animal o vampiro mais gosta?

61. Como se tira leite de gato?

RESPOSTAS: 55. A mosca. 56. Porque elas comem de grão em grão. 57. A gata. 58. Para não se meter com a justiça. 59. Para crescer e ficar leitão. 60. Da girafa. 61. Puxando a tigela de leite do gato quando ele estiver bebendo.

ANIMAIS

62. Por que os pássaros vão voando para lugares mais quentes quando chega o inverno?

63. O que é grande como um dinossauro e não pesa um grama?

64. Qual o peixe que costuma acordar mais cedo?

65. Qual o maior desejo da centopeia?

66. Qual o desejo da cobra?

67. Por que o gato espirra?

RESPOSTAS: 62. Porque não podem ir andando. 63. A sombra do dinossauro. 64. O peixe-galo. 65. Uma coleção de sapatos. 66. Ser pente. 67. Porque ele não pode evitar.

ANiMAiS

68. Por que o cachorro rói ossos?

69. Um cesto vem flutuando num rio com um ovo dentro. De onde veio o ovo?

70. Como fazem os três macacos: "Não vejo, não ouço, não falo", para se comunicar?

71. Quem é que canta mal, desafinado e é conhecido no mundo todo?

72. Por que o macaco apaixonado é o mais infernal dos bichos?

73. Por que a cobra é o animal mais descuidado do mundo?

74. Por que é que galos, galinhas, cachorros, gatos e cangurus atravessam a estrada?

RESPOSTAS: 68. Porque não consegue engolir. 69. Da galinha. 70. O que não vê diz o que ouviu ao que não fala; o que não ouve diz o que viu para o que não vê; o que fala confirma tudo com a cabeça. 71. O galo. 72. Porque ele vive com a macaca. 73. Porque perde até a pele. 74. Para chegarem ao outro lado.

ANIMAIS

75. O que acontece quando uma galinha bate a cabeça na parede?

76. Quem sai todo dia, mas nunca sai de casa?

77. Qual o bicho que pode acompanhar o homem em todos os passos?

78. Quem rema depressa com quatro remos, mas nunca sai debaixo de seu próprio teto?

79. Por que o cachorro ligou o ventilador?

80. Qual o animal mais covarde?

81. Qual a maior ambição da galinha?

82. Que bicho teria condições de se vestir melhor?

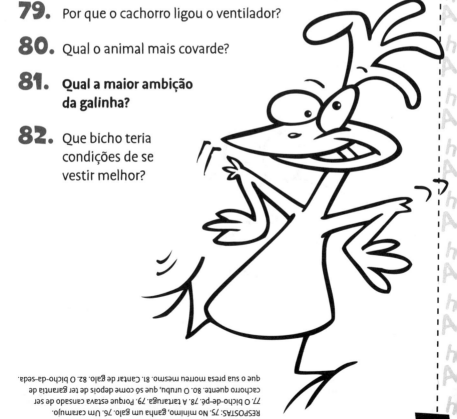

RESPOSTAS: 75. No mínimo, ganha um galo. 76. Um caramujo. 77. O bicho-de-pé. 78. A tartaruga. 79. Porque estava cansado de ser cachorro quente. 80. O urubu, que só come depois de ter garantia de que a sua presa morreu mesmo. 81. Cantar de galo. 82. O bicho-da-seda.

ANIMAIS

83. Por que o rato, ao sair da toca, sempre vira a cabeça para um lado e depois para o outro?

84. Quanto você precisa saber para ensinar um cavalo a fazer mágica?

85. Qual o pássaro que mais conhece seus semelhantes?

86. Qual foi o primeiro jardim zoológico do mundo?

87. Por que o elefante nunca se esquece de nada?

88. Qual passarinho mais vigia a gente?

89. Qual bicho nunca procura onde morar?

RESPOSTAS: 83. Porque não pode virá-la para os dois lados ao mesmo tempo. 84. Mais que um cavalo. 85. O pelicano. Ele tem papo. 86. A arca de Noé. 87. Porque ele tem memória de elefante. 88. O bem-te-vi. 89. O caracol.

ANIMAIS

90. Qual é a contradição da galinha?

91. Quem fazia mais barulho na arca de Noé?

92. O que tem quatro pernas e voa?

93. Por que se pode dizer que os macacos já resolveram o problema da reforma urbana?

94. Qual o animal que voa e amamenta o filhote?

95. Qual o maior sonho da galinha?

RESPOSTAS: 90. Tem um coração pequeníssimo, mas tem tanta pena. 91. A centopeia, quando tirava os sapatos. 92. Dois passarinhos. 93. Porque é cada macaco no seu galho. 94. O morcego. 95. Pôr ovos de Páscoa.

ANIMAIS

96. Qual o esporte que o cachorro com febre adora?

97. Qual o cosmético que a galinha usa?

98. De qual animal o motorista com problemas no carro gosta?

99. Como é que se pode impedir um gambá de cheirar?

100. O que é que tem coroa e não é rei; tem espora e não é cavaleiro?

RESPOSTAS: 96. Corrida ao termômetro, para checar se a febre já passou. 97. Ovon. 98. Do macaco. 99. Tampando o nariz dele. 100. Galo.